D0582451

Titre original : *Pony Camp diaries*
Jessica and Jewel
First published in Great Britain in 2009
Text copyright © Kelly McKain, 2009
The right of Kelly McKain to be identified as the author
of this work has been asserted by her in accordance
with the Copyright, Designs and patents Act, 1988.

Stripes Publishing
an imprint of Magi Publications
I The Coda Centre, 189 Munster Road, London SW6 6AW

Cet ouvrage a été réalisé par les Éditions Milan
avec la collaboration de Juliette Antoine et Sophie Forgeas.
Création graphique et mise en page : Graphicat

Pour l'édition française :
© 2009, Éditions Milan, pour le texte et l'illustration
300, rue Léon-Joulin, 31101 Toulouse Cedex 9, France
Loi 49-956 du 16 juillet 1949
sur les publications destinées à la jeunesse.
ISBN : 978-2-7459-3726-1
Dépôt légal : 3e trimestre 2009
www.editionsmilan.com
Imprimé en Espagne par Novoprint

Kelly McKain

Marine et Bijou

Traduit de l'anglais
par Karine Suhard-Guié

MILAN
jeunesse

Ce journal intime appartient à

Marine

Chères cavalières,

Bienvenue aux Écuries du soleil !

Les Écuries du soleil, c'est notre maison, et cette semaine, ce sera aussi la vôtre ! Mon mari Paul et moi avons deux enfants, Émilie et Jérémy, plus quelques chiens… sans oublier tous les poneys. Nous formons une grande famille !

Grâce à nos formidables palefreniers et à notre excellente monitrice, Sandra, vous profiterez au maximum de votre séjour. Si vous avez un souci ou une question, n'hésitez pas à venir nous en parler. Nous sommes à votre service, et nous tenons à ce que vous passiez les vacances les plus agréables possibles – alors ne soyez pas timides !

Votre mission consistera à veiller sur un poney comme si c'était le vôtre. Celui-ci est impatient de faire votre connaissance pour s'amuser avec vous ! Vous prendrez soin de lui, améliorerez votre équitation, apprendrez de nouvelles techniques et vous vous ferez des amies.

Nous organiserons aussi une randonnée équestre façon cow-boy, avec campement à la belle étoile. Yi-haah ! Ajoutez à cela de la natation, des jeux et des films, et vous voilà parties pour des moments de détente inoubliables !

Vous pourrez noter dans ce journal intime tous vos souvenirs – et croyez-moi, ils seront nombreux !

Nous vous souhaitons une merveilleuse semaine en notre compagnie !

Judith

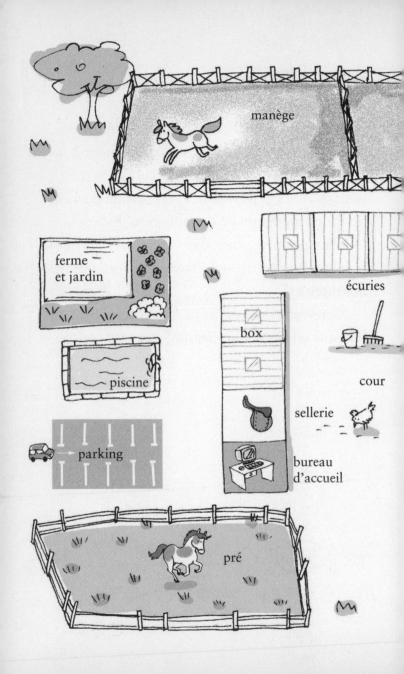

manège

ferme
et jardin

écuries

piscine

box

cour

sellerie

parking

bureau
d'accueil

pré

Lundi, un peu après 9 heures

Je viens juste d'arriver au camp d'équitation !

Ma petite sœur Tina et moi sommes les premières car maman, qui avait une réunion ce matin, nous a déposées ici de bonne heure. Pour le moment, nous sommes assises à la table de la cuisine parce que Judith (la responsable des Écuries du soleil) prépare nos lits à l'étage. Elle nous a donné du jus de fruits, du matériel de dessin pour nous occuper, ainsi qu'un journal intime à chacune. Tandis que je suis justement en train d'écrire sur le mien, Tina dessine une fée, avec des ailes roses mais aussi un jean moulant comme celui que je porte et des bottes en peau de mouton retournée.

Je suis tout excitée de faire ce stage d'équitation et impatiente de découvrir quel poney on va m'attribuer. Ce sera génial de le chevaucher pendant une semaine entière ! J'ai l'habitude d'aller dans un centre équestre tous les samedis matin (accompagnée de Tina). Sans être hyper-douée, je connais les bases. Je sais aller au pas, au trot, au galop, et effectuer certaines transitions un peu difficiles comme l'arrêt-trot (enfin, disons que j'y arrive parfois, si je monte Mélodie !). J'ai même essayé le saut d'obstacles sur Bonbon, y compris quelques sauts combinés. Jeanne, ma monitrice, nous fait changer de poney régulièrement dans le but d'acquérir davantage d'expérience. C'est une super stratégie, mais ce sera aussi passionnant de chevaucher le même poney (ou la même ponette) jusqu'à vendredi, comme si j'en étais réellement la propriétaire !

Oh, ça va être tellement chouette ! J'aurai mon propre poney et je vais partager une chambre avec des filles de mon âge ! À la maison, je dors avec Tina. Résultat : je trébuche tout le temps sur ses poupées Barbie et elle me pique mon fard à paupières brillant (elle en prend des *tonnes*, en plus !). Sans parler qu'après 19 h 30, quand elle est couchée, je ne dois faire aucun bruit, ce qui veut dire ni Playstation ni télévision ni musique. J'ai juste le droit d'allumer ma lampe de chevet pour lire, en faisant attention à tourner les pages en silence !

Comme j'adore les histoires qui se passent dans des pensionnats, je suis survoltée ! Cette semaine, j'aurai l'impression d'être en pension. Et ce sera encore mieux grâce aux poneys. J'ai apporté plein de friandises en prévision de goûters nocturnes. Nous partagerons sûrement quelques secrets croustillants pendant nos discussions à voix basse, au beau milieu de la nuit.

Et surtout, j'ai choisi de venir spécialement cette semaine parce que nous ferons une randonnée équestre et nous camperons sous une tente ! J'ai toujours été passionnée par les cow-boys et les westerns, alors là, mon rêve se réalise ! Ce sera si captivant de chevaucher sur des kilomètres et des kilomètres de campagne, de dormir à la belle étoile, de manger des saucisses et des haricots et de chanter autour d'un feu de camp ! Tina se fiche un peu des randonnées à cheval et même des poneys, mais bien sûr, dès que j'ai montré le prospectus de ce stage à maman, elle a voulu le faire aussi. Ça a bien arrangé papa et maman parce qu'ils pouvaient ainsi aller en vacances rien que tous les deux. Et justement, ils partent à la mer demain.

– Et pourquoi *moi*, je n'irais pas en vacances seule, sans Tina ? ai-je demandé.

Maman a éclaté de rire, avant de répondre :

– Eh bien, ton père et moi n'avons pas pris de vacances en amoureux depuis que vous êtes nées. Alors je pense que nous sommes prioritaires, tu ne crois pas, Marine ? Et puis, pense à ta sœur. Elle préférerait de beaucoup être avec toi et plein d'autres filles plutôt qu'avec ses parents.

Maman ne comprend pas ; c'est difficile à expliquer, de toute façon. Ça ne me *dérange* pas que Tina soit là, mais bon, j'aimerais bien vivre ma vie, sans avoir à surveiller ma sœur,

14

pour une fois. Ce n'est pas que je n'aime pas faire des activités avec elle, au contraire. Mais étant donné que j'ai dix ans et demi et elle, sept, nous ne nous amusons pas de la même manière. Elle veut toujours que je joue à des jeux imaginaires, comme la maîtresse ou le docteur, qui durent parfois des *heures*. En plus, je m'occupe souvent d'elle à la maison car en général, papa et maman travaillent dans leur bureau (c'est-à-dire la chambre d'amis), qui sert de local à leur entreprise de vente par correspondance. Ils disent toujours : « Une minute » ou « Il faut juste que je finisse ça », si bien que je me retrouve responsable de Tina.

Enfin, nous sommes toutes les deux ici maintenant, un point c'est tout. Il est inutile de m'en plaindre. J'espère que Tina trouvera des copines de son âge.

Vivement que les autres stagiaires arrivent pour que le stage d'équitation commence vraiment ! J'aurai alors des tas de choses à raconter !

Lundi, plus tard

*Je profite que tout le monde
défait ses valises pour écrire
ces lignes en vitesse*

Argh ! C'est incroyable ! On nous a mises,
Tina et moi, dans la même chambre,
sous prétexte que nous sommes sœurs ! Tous
mes plans de soirées pyjamas tombent à l'eau ;
ce sera exactement comme à la maison (je vais
donc m'ennuyer à mourir !).

Depuis l'arrivée des six stagiaires (trois
grandes, qui sont adorables, et trois plus jeunes),
le groupe est au complet. Judith nous a
conduites à l'étage. J'ai cru qu'il y avait deux
chambres de quatre et que je dormirais avec
les plus grandes. Mais en réalité, il y a trois
chambres, et je partage la mienne avec Tina.

J'avais vraiment envie de demander à changer mais je ne voulais pas être embêtante. De toute façon, puisqu'il n'y avait que cette solution, j'ai préféré dire que ça m'était égal. En plus de nos lits superposés, il y en a un autre près de la fenêtre. Lorsque Judith nous a dit que c'était celui de sa fille, Émilie, j'ai été un peu plus gaie car je me suis dit qu'au moins, il y aurait quelqu'un d'autre avec nous. Mais elle a ajouté qu'Émilie passait la semaine chez sa tante ; je serai donc bien seule avec Tina. Tous mes rêves de festins nocturnes et de conversations secrètes à voix basse entre filles se sont évanouis. Je suis restée plantée là, avec le cafard, jusqu'à ce que Tina me ramène à la réalité en faisant toute une histoire pour prendre la couchette du haut.

Pourtant, j'ai retrouvé le moral en sortant mes affaires. Je n'arrêtais pas de me dire : « Waouh ! Ça y est, je suis au camp d'équitation, et pour une semaine entière ! » Partager ma chambre avec Tina ne sera sans doute pas si horrible que ça. Lorsqu'elle sera endormie, je pourrai peut-être aller dans la chambre des grandes et ainsi ne pas tout rater. Il n'est pas question que je gâche mon stage à cause de ça. Après tout, je suis impatiente de rencontrer mon poney, de partir en randonnée, d'assister à toutes les leçons et de mettre la main à la pâte dans la cour – et dans les crottins des box (beurk!). Hi! hi!

Oh, on nous appelle en bas maintenant. Il est temps d'aller faire connaissance avec les autres stagiaires, et de découvrir mon poney. Super!

Lundi, après le dîner

Le camp d'équitation, c'est génial !

J'ai retrouvé ma bonne humeur grâce à la journée fantastique que j'ai passée !

J'écris ces lignes pendant notre temps libre après le dîner. Nous étions censées aller nager, mais comme le ciel est orageux, Judith préfère que nous attendions un peu afin de voir comment le temps va évoluer. C'est pourquoi je suis assise sur l'un des bancs de pique-nique, devant la grange. Clara, Salomé et Alyzee (les grandes dont j'ai parlé avant) remplissent elles aussi leur journal intime près de moi.

Les petites font je ne sais trop quoi dans la salle de jeux, mais Tina est avec nous. Étant donné qu'elle n'écrit pas très vite, elle s'occupe autrement. Elle a déjà pris son poney Clin d'œil en photo et en ce moment, elle réalise un collier de pâquerettes géant sur l'herbe. Oh, j'ai tant de choses à raconter qu'il vaut mieux que je reprenne là où je me suis arrêtée.

Lorsque nous sommes descendues dans la cour, Judith nous a présenté Sandra, la monitrice, et Lydie, la palefrenière qui nous aidera avec nos poneys. Puis Sandra nous a demandé de dire notre prénom, notre âge et la ville où nous vivons. Âgée de douze ans, Clara vit dans une très grande ville et Alyzee, qui a un an de plus, aussi (j'aimerais bien être à leur place!). J'ai été surprise d'entendre que Salomé, dix ans et demi, parle avec l'accent américain. Elle est venue spécialement des États-Unis cette semaine (toute seule, quel courage!) parce qu'elle voulait suivre des cours d'équitation classique, comme les héroïnes de ses livres.

Quand ça a été le tour de Tina de se présenter, elle m'a lancé un regard paniqué, alors j'ai parlé à sa place. Elle n'est pas timide, mais elle a tendance à perdre sa langue en présence de gens qu'elle ne connaît pas. J'ai été hyper-contente quand Alyzee m'a dit qu'elle aimait mon haut. Je n'ai jamais vu quelqu'un qui suit autant la mode, à part à la télé. J'adore sa frange sur le côté et les bracelets en cuir qu'elle porte, tout le long du bras. Et j'adore aussi comment elle écrit son prénom. Malheureusement, le mien n'offre pas beaucoup de possibilités de fantaisie orthographique.

Les petites, Sacha et Alexia, ont tout juste huit ans, et Lola n'a que sept ans. Puisque Tina a le même âge, elle aurait dû tout de suite se rapprocher d'elles. Au contraire, elle est restée accrochée à moi tout le temps, y compris quand Sandra nous a fait visiter la cour et nous a rappelé les règles de sécurité. Mais, par chance, lorsqu'on lui a attribué Clin d'œil, un magnifique poney isabelle (à la robe jaune pâle), elle est aussitôt tombée amoureuse de lui et a oublié mon existence !

J'ai moi aussi rencontré ma ponette, Bijou. Voici son profil :

Nom : Bijou

Âge : selon Sandra, environ huit ans

Taille : 1,34 mètre

Race : Highland

Couleur de robe et marques : robe blanche, tête blanc-gris, avec des taches noires sur les naseaux.

Histoire : Sandra affirme que Bijou lui a été prêtée il y a un an, durant la dernière semaine de l'été, par son ami Bob Western, qui tient un ranch. Vu que tout s'était très bien passé, ils ont décidé de renouveler l'expérience cette année. Elle n'est donc ici que pour la durée de mon stage, et je suis la chanceuse qui va la chevaucher ! Bijou a été entraînée à l'équitation western (mais elle comprend parfaitement ce que je lui demande en équitation classique). Je la trouve parfaite : elle est très douce et gentille, fougueuse et endurante, et nous avons un point commun : la passion du Far West. Je parie qu'elle aimera autant que moi la randonnée équestre.

Toutes les autres stagiaires aussi ont eu le coup de foudre pour leurs poneys. Voici les couples cavalière-poney :

Clara – Brillante
Alyzee – Marin
Salomé – Flamme
Moi – Bijou
Tina – Clin d'œil
Lola – Mousson
Alexia – Prince
Sacha – Sucre

Bijou est si facile à monter que la leçon d'évaluation s'est très bien déroulée. Nous nous sommes échauffées longtemps sur le trot, les cercles et les changements de direction, sans nous arrêter pour nous reposer. (Sandra a déclaré qu'il nous fallait acquérir de l'endurance pour la randonnée, où nous chevaucherons plusieurs heures par jour.) Le meilleur moment a été quand nous avons effectué le tour de la piste au galop, jusqu'à rejoindre la dernière cavalière de la file – enfin, Tina et les petites sont juste allées au trot. Nous devions veiller à nous arrêter à temps pour ne pas effrayer le poney devant nous. Sandra affirme que ce sera très important lorsque nous galoperons en groupe dans la campagne. J'étais encore plus impatiente de partir en randonnée ! Si seulement nous pouvions lancer des lassos et porter des chapeaux de cow-boys ! Mais ça m'étonnerait.

Ensuite, nous avons conduit nos poneys dans la grange, où Lydie nous a aidées à leur enlever leurs harnachements. Puis, après avoir avalé au moins deux verres de citronnade chacune dans la cuisine, nous sommes retournées en vitesse dans la cour pour découvrir dans quel groupe Sandra nous avait mises. Comme je l'espérais, je suis dans le groupe B avec les grandes. Super ! Ça veut dire que je vais pouvoir être plus exigeante avec moi-même cette semaine. Le mois dernier, la monitrice de mon poney-club a voulu me faire passer à un niveau supérieur, mais je n'ai pas pu car Tina et moi devons assister aux leçons au même moment, pour éviter à maman deux trajets de voiture.

Avant le déjeuner, nous avons travaillé dans la cour. Moi, je balayais, tandis que Salomé tenait la pelle pour me faciliter la tâche. Nous chantions nos chansons préférées, en essayant de faire les harmonies et ce genre de chose. C'était très beau avec l'accent américain de Salomé.

Une fois que Tina a eu fini de nettoyer les seaux à nourriture, comme Lydie le lui avait demandé, elle est restée traîner près de moi (ce qu'elle fait aussi en ce moment, d'ailleurs !).

– Hé ! Pourquoi ne vas-tu pas vider la brouette sur le tas de fumier, avec Lola et Alexia ? lui ai-je suggéré.

Le regard de Tina s'est éclairé quand elle a vu ces deux filles en pleine crise de fou rire tandis qu'elles tentaient de pousser la grande et lourde brouette le long du chemin cahoteux.

– Oh, oui ! On y va ? a-t-elle demandé.

Elle avait l'air si enthousiaste que je n'ai pas eu le courage de préciser : « Je parlais de toi, pas de nous. »

Salomé a accepté de terminer de balayer et je suis partie avec Tina. C'était chouette, sauf que j'étais un peu frustrée de laisser Salomé juste au moment où nous commencions à bien chanter.

La leçon de cet après-midi a été géniale : nous avons fait du saut d'obstacles ! Sandra a déclaré que ça nous aiderait pour les prochains jours, mais elle a refusé de nous expliquer pourquoi en prenant un air mystérieux. Elle nous réserve une surprise, c'est sûr ! Elle a installé deux obstacles combinés : un simple et un double, séparés par trois foulées, puis deux croisillons, avec un seul rebond entre chaque. Bijou les a franchis en douceur. Je dois juste travailler à adopter le même rythme qu'elle et à sentir le bon moment pour me lever de ma selle, au lieu de m'emmêler en essayant de compter les foulées.

Brillante a réalisé deux bons sauts, mais lorsque le vent a fait claquer un portail, elle a paniqué et ensuite, elle a refusé les obstacles. Sandra nous a choisies, Bijou et moi, pour entraîner Clara à sauter l'obstacle et remettre sa ponette sur la bonne voie. J'étais un peu nerveuse car ça fait très peu de temps que j'ai commencé le saut ; je ne me croyais pas capable de montrer l'exemple à qui que ce soit. Mais ma belle ponette a veillé à ce que les choses se déroulent le mieux possible. Brillante a rapidement retrouvé confiance en elle et Clara, très reconnaissante, m'a remerciée des dizaines de fois, même plus tard, quand nous avons enlevé le matériel de nos poneys dans la cour. J'ai répondu que c'était surtout Bijou qui avait bien travaillé, mais Clara a affirmé que c'était aussi grâce à moi. Et si elle avait raison ? Je suis peut-être meilleure cavalière que je ne pensais !

Lorsque, en regagnant la ferme pour aller dîner, Clara a passé son bras sous le mien, j'étais hyper-contente de marcher près d'elle parce qu'elle est beaucoup plus âgée que moi et très belle. (Là, je m'éloigne un peu d'elle, pour ne pas qu'elle découvre que je trouve extraordinaire d'être copine avec une plus grande que moi.) Mais juste après, Tina m'a prise par l'autre bras. Et quand nous sommes rentrées dans la maison, elle m'a forcée à l'accompagner aux toilettes et à l'attendre derrière la porte (alors qu'elles se trouvent à l'étage et qu'il n'y a pas de raison d'avoir peur !). Bon, je suis sûre qu'elle ne me collera plus autant une fois qu'elle se sera adaptée à ce nouveau cadre.

Oh, zut ! Il vient de se mettre à pleuvoir à verse. Il faut que j'aille m'abriter sinon cette page va se transformer en bouillie !

Toujours lundi

Au lit

Finalement, il a vraiment plu des cordes. Heureusement que nous ne sommes pas allées nager ! À la place, nous avons traîné dans la salle de jeux, où nous avons joué à Twister, aux tapis musicaux et au ping-pong. Alexia et Sacha ont fait de si nombreux matchs qu'elles ont dû attraper de sacrées courbatures aux poignets ! Pendant un moment, j'ai joué avec Tina au Docteur Maboul, son jeu préféré. Elle aurait pu continuer toute la nuit mais moi, ça ne me disait rien : j'avais envie de faire de nouvelles choses au stage d'équitation, pas celles que je connais par cœur.

Comme Tina tenait à remettre tous les organes du patient à l'aide des pinces (ce qui était très long), j'ai rejoint Salomé et Alyzee sur les tapis musicaux. Puis nous avons joué à la brouette avec Clara. Chacune notre tour, nous avons marché sur les mains et tenu les chevilles de l'autre. Nous avons bien rigolé, surtout parce que la jupe que Salomé avait mise avant le dîner remontait sans arrêt et laissait voir sa culotte !

Ensuite, en me souvenant de ce que Sacha et Alexia avaient fait plus tôt, j'ai proposé d'empiler les coussins du canapé et de grimper en haut de ce tas de fumier imaginaire. Bien sûr, nous nous sommes toutes écroulées par terre, surexcitées et mortes de rire. Ça m'a fait très plaisir que tout le monde s'amuse au jeu que j'avais inventé.

Tina m'a rejointe et a voulu faire la brouette avec moi, mais Alyzee se serait retrouvée sur la touche, et ça aurait tout gâché. Alors j'ai tenté de l'intéresser aux jeux de Lola, Sacha et Alexia.

– Oh, waouh ! me suis-je exclamée. Tu as vu les jouets de Lola ? Elle a le dernier de la collection des poneys en peluche, plus le manège avec les sauts d'obstacles ! Je parie que tu *adorerais* aider Alexia à installer un parcours !

Mais mon enthousiasme a laissé Tina indifférente.

Heureusement, peu de temps après, Judith l'a envoyée prendre sa douche, si bien qu'elle n'est pas restée longtemps seule à ne rien faire. Enfin, pas très longtemps, en tout cas. Et ensuite, je suis moi aussi montée me doucher.

Oh, Judith vient de passer la tête par la porte de la chambre. C'est l'heure de l'extinction des feux. Bonne nuit !

Mardi matin (tôt!)

Je suis si fatiguée!

J'ai à peine fermé l'œil de la nuit parce que Tina a absolument voulu se glisser dans mon lit, alors qu'elle avait *choisi* la couchette du haut. C'est elle tout craché, ça! Elle n'a pas cessé de gigoter, elle rêvait sans doute qu'elle était en train de chevaucher Clin d'œil. Tout compte fait, j'ai dû monter dans *son* lit pour avoir un peu la paix!

Argh! Ce n'est pas du tout comme ça que j'avais imaginé les nuits au camp d'équitation! J'avais envie de soirées pyjamas avec des filles de mon âge, où on se raconterait des secrets et où on organiserait des goûters nocturnes. Au lieu de ça, je me retrouve dans le même lit que ma petite sœur, qui me roue de coups de pied toute la nuit !

Bon, ce n'est pas grave. Ce soir, une fois que Tina se sera endormie, je sortirai de ma chambre à pas de loup et j'irai retrouver mes copines. Là, l'idée que je vais bientôt revoir ma belle Bijou et beaucoup m'amuser aujourd'hui me tire complètement de mon sommeil. Oh, le réveil sonne dans le couloir. Je parie que je serai la première levée et habillée !

Mardi, après le déjeuner

*Salomé et Alyzee sont
de corvée de vaisselle*

J'ai adoré le cours théorique de ce matin, sur les couleurs de robe, les races, les marques et l'anatomie du cheval (enfin, du *poney*, puisque Lydie a pris Prince comme modèle!). Après la démonstration, elle a organisé un petit concours. Nous devions passer en revue tous les poneys de la cour et relever leurs différentes caractéristiques – le prétexte idéal pour leur faire plein de câlins! J'ai fait équipe avec Claudia et Tina, bien entendu (comme ma sœur n'a pas voulu se mettre avec Sacha afin de rester avec moi, les petites se sont retrouvées à trois). Nous avons trouvé de quoi rédiger une longue liste, sur laquelle figuraient les couleurs rouan bleu (robe noire ou brune piquetée de poils blancs qui lui donnent une teinte bleue) et isabelle, ainsi que diverses sortes de balzanes (taches blanches sur les jambes du cheval, au-dessus du sabot). Pourtant, c'est Salomé et Alyzee qui ont noté le plus de particularités. Elles ont été assez rusées pour aller observer les chevaux dans le champ du haut ! Nous les avons applaudies et elles ont reçu une barre chocolatée chacune.

Notre leçon d'équitation aussi était géniale. Nous avons fait du travail sur le plat, accompagné d'un échauffement difficile comprenant de nombreux virages, des cercles et des changements de main destinés à obtenir une bonne écoute de nos montures. Puis nous avons poursuivi avec des exercices d'équilibre qui, selon Sandra, nous seront utiles pour la randonnée, en terrain accidenté. Rien que d'y penser, je suis excitée comme une puce. Vivement demain ! C'était amusant de chevaucher sans étriers, et si facile sur Bijou, qui glisse tout simplement, avec beaucoup de majesté.

Son trot ne m'a même pas donné de courbatures aux fesses. Nous avons aussi essayé le galop sans étriers, ce qui m'a forcée à adopter une bonne position. À ce moment-là, j'ai senti que Bijou exprimait son « esprit western ». Et je l'ai imaginée, dans la campagne américaine, poursuivre au galop lent et rasant (typique du style western) des troupeaux entiers de vaches au galop. (Est-ce que les vaches galopent, au fait ? Bref !)

Les autres poneys aussi sont de vraies stars. Marin est très décontracté, et Alyzee le monte merveilleusement bien. Brillante était toujours un peu nerveuse aujourd'hui, mais elle s'est calmée après l'échauffement. Pourtant, elle n'était pas très enthousiaste quand Clara a voulu effectuer des toupies (des tours complets sur soi-même, en passant une jambe après l'autre par-dessus l'encolure et la croupe du poney). Elle s'est décalée et Clara a glissé par terre ! Ça n'a bien sûr pas empêché celle-ci d'être toujours aussi belle, malgré la poussière sur son jodhpur et les copeaux dans ses cheveux.

Pendant la leçon, les grandes n'arrêtaient pas de prononcer le mot « caramel » en riant d'un air complice. Quand j'ai demandé à Alyzee ce qu'elles voulaient dire, elle m'a répondu :

– Oh, rien. C'est juste une blague d'hier soir. Je ne peux pas la répéter devant Sandra.

Là, j'ai vraiment beaucoup regretté de ne pas partager ma chambre avec elles.

Plus tard, quand nous avons dessellé dans la cour et croisé nos étriers sur nos montures, Alyzee m'a dit :

– Marine, je suis désolée que tu n'aies pas pu passer la soirée avec nous, hier. Rejoins-nous discrètement ce soir, une fois que Tina dormira, et nous mangerons des bonbons en cachette. Je t'expliquerai aussi pourquoi nous répétions « caramel », tout à l'heure.

Ses paroles m'ont fait très plaisir. Je suis bien décidée à rejoindre les grandes dans leur chambre cette fois-ci. Il n'est pas question que je rate quoi que ce soit d'autre !

Oh, il faut que j'y aille ! On nous attend dans la cour pour notre leçon !

Mardi, dans ma chambre

Après la natation et la douche

*L*a leçon, qui a été fabuleuse, a compris un *autre* grand échauffement (mais avec l'entraînement, je suis moins essoufflée). Ensuite, après nous avoir séparées en deux files, Sandra nous a demandé de passer les unes devant les autres en nous touchant la main. Nous devions aussi franchir le repère X du milieu du manège en nous suivant, afin de nous habituer à prendre conscience des mouvements de chaque cavalière, pas seulement des nôtres. Par chance, il n'y a pas eu d'accident, même si Alyzee a failli se cogner dans Clara, parce qu'elle ne regardait pas devant elle. Dans la seconde moitié de la leçon, nous avons essayé le saut d'obstacles, avec trois combinés dont un triple. (Sandra refuse *toujours* de nous dire pourquoi nous avons besoin de nous entraîner !) Bijou n'a pas réussi cet exercice du premier coup, mais je n'ai pas arrêté de l'encourager et très vite, nous avons carrément volé au-dessus des obstacles ! Mon cœur battait à cent à l'heure, j'avais un sourire jusqu'aux oreilles. Honnêtement, c'était le meilleur moment de ma vie !

Quand nous avons enlevé les harnachements à nos montures et leur avons donné de l'eau fraîche, j'étais toujours sur mon petit nuage. Sauf que pendant le cours sur le pansage, je suis redescendue sur terre très brutalement ! Sincèrement, on aurait dit que Tina ne pouvait *rien* faire sans moi ; elle s'est comportée comme si elle avait quatre ans. J'espérais qu'hier, elle s'était cramponnée à moi uniquement parce que tout était nouveau et étrange, mais aujourd'hui, c'est encore pire. Argh !

Plus tard, alors que nous ramenions nos poneys au pré, Bijou s'est arrêtée près de la clôture. Tout en lui caressant l'encolure, je lui ai raconté combien j'étais déchirée entre mon devoir de m'occuper de ma sœur et mon envie de passer du temps avec mes copines. Bien qu'elle ne soit qu'une ponette, dès que je me suis tue, Bijou a reniflé et a frotté son nez contre mon bras, ce qui me fait croire qu'elle m'a peut-être comprise, à sa manière.

Je pensais rester là juste quelques minutes, pourtant j'ai perdu la notion du temps, et tout d'un coup, Sandra m'a tapée sur l'épaule. Elle était fâchée que je ne sois pas rentrée avec le groupe. J'ai dû lui présenter des dizaines d'excuses avant qu'elle retrouve le sourire. Comme je voulais lui expliquer pourquoi j'étais restée en arrière, j'ai fini par lui avouer ce que j'avais dit à Bijou.

Au bout d'un moment, ma ponette a pris le trot pour aller brouter plus loin. Assises sur la barrière, Sandra et moi avons regardé les poneys se rouler par terre, jouer à lancer leurs pieds en l'air et manger de l'herbe.

– Tu devrais peut-être voir les choses différemment, a suggéré Sandra. C'est tout de même bien que Tina t'admire autant. Mon petit frère, lui, se bagarrait tout le temps avec moi et cachait des vers de terre dans mes sandwiches !

Les paroles de la monitrice m'ont fait sourire mais ne m'ont pas vraiment réconfortée.

– Tu te débrouilles très bien avec Bijou, a continué Sandra. Tu t'es totalement adaptée à son style. C'est un esprit libre, et tu sais comment la respecter. Elle te remercie ensuite en te donnant le meilleur d'elle-même car elle est très heureuse.

– Merci. Je l'aime tellement. C'est la plus merveilleuse ponette du monde.

– Allez, il vaudrait mieux que tu rentres dîner, a dit Sandra en souriant.

J'ai sauté de la clôture et je me suis dirigée vers la cour, ravie des compliments de Sandra.

Oh, super ! Tina est enfin allée voir ce que font les petites (elle a dû en avoir assez de jouer avec son matériel de dessin pendant que j'écrivais ces pages.) Je pars moi aussi retrouver Alyzee, Salomé et Clara.

Mardi, après l'extinction des feux

Je me suis souvenue que j'avais apporté ma lampe torche

Ce que je craignais est arrivé : Tina dort dans son lit et moi, je suis toujours là – pffff ! Ce soir, j'étais vraiment très impatiente de me faufiler discrètement dans la chambre des grandes mais, le moment venu, j'en ai été incapable. Et si Tina se réveille, s'aperçoit de mon absence et qu'elle est toute seule dans le noir ? Je ne pouvais pas lui faire ça. Voilà pourquoi elle dort profondément pendant que moi, je suis coincée ici, à écrire ces lignes. J'entends mes copines glousser et chuchoter au bout du couloir, ce qui me fait encore plus de peine.

Heureusement que tout à l'heure, je me suis bien amusée avec Alyzee, Salomé et Clara. Comme j'ai vu que Tina jouait à *Mon petit poney* dans la chambre des petites (Lola possède la plus grande collection de poneys en peluche que j'aie jamais vue), j'ai pu passer du temps avec *mes* copines – même si c'était court.

Assises sur le lit de Salomé, elles étaient toutes cachées sous une grande serviette qui donnait à ce lit en hauteur une allure de tente de camping. Quand je les ai rejointes, j'ai compris la raison de leurs rires étouffés et de leurs « chuts » : elles étaient en train de se confier des secrets de filles. C'était génial, sauf que vingt minutes plus tard, la tête de Tina est apparue derrière la serviette. Elle était à fond dans son jeu imaginaire avec les poneys en peluche.

– Marine, tous les poneys sont sur mon lit maintenant, a-t-elle gémi. Et comme mon lit, c'est la cour du poney-club, eh bien moi, je n'ai plus de place où m'asseoir alors je ne peux pas jouer.

– Tu ne peux pas l'installer par terre ? lui ai-je suggéré.

Tina m'a regardée comme si j'étais complètement stupide.

– Bien sûr que non ! Mon lit, c'est la cour ! s'est-elle exclamée.

– Tu n'as qu'à aller partager celui de quelqu'un d'autre ! ai-je soupiré.

Je ne sais pas pourquoi mais Tina a compris ma phrase dans le sens : « Viens partager *notre* lit », ce qui n'était *pas du tout* ce que je voulais dire ! Aussitôt, elle a grimpé sur la couchette supérieure et s'est mise à discuter de son *Petit poney*. Malgré la gentillesse de mes copines qui ont fait mine d'être intéressées, ce n'était plus pareil parce que nous ne pouvions plus nous faire de confidences (Tina est bien trop petite pour ce genre de conversation). Vu que je ne voulais pas que mes amies s'ennuient ou se fâchent, et puisque, après tout, c'était ma faute si Tina était là, j'ai trouvé une excuse pour que nous retournions dans notre chambre.

Je me suis retrouvée sur mon matelas à lire *Poney magazine* en silence, et j'ai refusé que Tina se pelotonne contre moi.

– Tu es méchante, Marine ! a ronchonné Tina, avant de monter sur sa couchette.

Elle s'est tellement tournée et retournée en grognant que les lits superposés ont tremblé.

Argh ! Je regrette qu'elle soit fâchée contre moi, mais c'est *impossible* qu'elle revienne dans mon lit parce qu'il faut absolument que je dorme cette nuit ! Demain, c'est la randonnée équestre ! Il me tarde : tout ce temps à chevaucher Bijou, à passer du temps avec elle, sans parler d'une nuit à la belle étoile !

Bon, je vais poser ce journal et fermer les yeux pour que demain arrive le plus vite possible !

Mercredi

Juste avant le départ en randonnée

ijou semble encore plus fougueuse que
d'habitude, comme si elle savait que
nous partions à l'aventure!)

J'ai une grande nouvelle : je vais partager
une tente avec les grandes!

Après la présentation des règles de sécurité
routière et des premiers soins, nous avons préparé nos poneys puis nous avons fait une pause
jus de fruits et biscuits. Sandra est venue nous
annoncer la répartition des stagiaires dans les
tentes. Lorsqu'elle a déclaré qu'Alyzee, Salomé,
Clara et moi étions ensemble, nous avons sauté
de joie en nous tenant les mains.

Je craignais que Tina ne soit pas très contente, et qu'elle aille jusqu'à supplier Sandra de nous mettre dans la même tente, alors j'ai évité son regard. Pourtant, elle n'a rien dit, elle a juste paru surprise et un peu triste. Mais je ne suis pas inquiète, je sais que tout va bien se passer. En plus, c'est pour moi l'occasion de faire la soirée pyjama que j'avais imaginée, autour d'un goûter nocturne, en se révélant des secrets ! Ça y est, nous partons. Cette randonnée équestre va être géniale !

Le temps est maussade ; selon Sandra, il pourrait pleuvoir. J'emporte mon journal intime avec moi. Je le fourrerai dans la poche de ma parka, avec les bonbons que nous dégusterons cette nuit !

Toujours mercredi

*De repos dans ma tente pendant que
les autres inspectent les environs*

*L*a randonnée était *sensationnelle* et…
Une seconde, je vais reprendre là où
je me suis arrêtée ce matin.

Nous avons donc enfilé nos gilets fluo-
rescents jaunes, sommes montées en selle et
nous voilà parties ! J'étais en effervescence, je
n'arrêtais pas de sourire ! Nous avons longé la
route au pas pendant un assez long moment
puis nous avons indiqué que nous tournions
à gauche. Judith ouvrait la marche et Sandra
la fermait. Paul et Jérémy (le mari et le fils de
Judith) allaient nous rejoindre au camp plus
tard avec leur Land Rover contenant toutes les

provisions et le matériel de camping. Tandis que nous gravissions un chemin de campagne, j'ai pris le trot enlevé. Cette allure était si confortable que j'avais l'impression que Bijou et moi glissions sur le sol sans fournir le moindre effort. En revanche, Salomé ne pouvait pas en dire autant ! Elle a dû retenir Flamme tout le temps avec les demi-arrêts (c'est-à-dire utiliser le poids de son corps pour reprendre l'attention de sa monture), parce que celle-ci n'avait qu'une envie : atteindre l'horizon au grand galop ! Sandra a fini par conseiller à ma copine de chevaucher derrière Prince, en le collant le plus possible. C'était très drôle car le nez de Flamme touchait presque le derrière de Prince. En tout cas, ça a marché, Flamme a cessé de vouloir s'emballer et a pris un joli trot.

Nous avons ensuite chevauché un bon moment, en alternant le pas et le trot. Le soleil ayant fait son apparition, j'ai noué ma veste autour de ma taille. Environ une heure plus tard, nous avons pénétré dans un magnifique bois frais et ombragé. C'était très amusant d'être obligé de baisser la tête pour éviter les branches basses.

Encore une heure plus tard (maintenant, je comprends pourquoi Sandra nous a entraînées à devenir plus endurantes!), nous nous sommes arrêtées dans un champ de l'autre côté du bois pour le pique-nique. Dans les sacoches de Judith et de Sandra, il n'y avait que de l'eau, du fromage et des sandwiches au jambon, mais nous étions si affamées et épuisées (surtout Lola et Alexia) que ce fut le meilleur repas de notre vie! Ensuite, après un rapide pipi dans les profondeurs du bois (chacune son tour, bien sûr), nous avons repris la route.

Nous avons continué au pas et la piste a monté vers un champ, où Sandra a autorisé les grandes à galoper avec elle tandis que les petites trottaient avec Judith. La monitrice a conseillé à Salomé de garder Flamme derrière Alyzee et Marin, et nous a interdit à toutes de les dépasser, elle et Bleu. Nous avons pris un bon rythme. C'était super : la belle crinière de

Bijou volait au vent et je me calais bien sur son allure. Je me prenais pour un cow-boy qui rassemble du bétail dans la Prairie, les vastes steppes d'Amérique du Nord !

Environ trente secondes plus tard, Judith a crié :

– Tina ! Non !

Lorsque j'ai regardé derrière moi, j'ai vu ma petite sœur galoper avec notre groupe.

– Je veux être avec toi, Marine ! a-t-elle crié, un sourire jusqu'aux oreilles.

J'ai fait la grimace mais je devais me concentrer sur mon équitation, surtout parce que plus nous gravissions la colline, plus les poneys prenaient de la vitesse.

Soudain, Clin d'œil m'a dépassée au grand galop et le sourire de Tina a laissé la place à un air terrifié. Ma sœur faisait des bonds sur sa selle, en se cramponnant aux rênes de toutes ses forces. J'ai senti une boule dans mon ventre à l'idée qu'elle risquait de chuter et de se faire piétiner par l'un des autres poneys. Malgré mon désir de lui venir en aide, j'étais totalement impuissante.

– Ho ! a hurlé Tina.

Mais Clin d'œil a continué à s'emballer sur la colline, dépassant également Salomé et Alyzee.

– On revient au trot, les filles, s'il vous plaît, a ordonné Sandra calmement, tandis que Tina arrivait près d'elle.

Clara a fait ralentir Brillante assez facilement et nous l'avons toutes imitée – ce qu'a aussi fini par faire Clin d'œil, en voyant tous les poneys reprendre le trot. Ouf ! Sur les consignes de Sandra, nous avons adopté le pas, avant de nous arrêter et d'attendre que l'autre groupe nous rattrape.

Sandra avait *semblé* calme, mais c'était uniquement parce que nous étions dans une situation dangereuse. Maintenant que le danger avait disparu, elle était furieuse contre Tina. Moi aussi.

– Mais où donc avais-tu la tête ? nous sommes-nous écriées en chœur.

Au bord des larmes, Tina est restée muette. Judith a soupiré.

– Tina, tu as été extrêmement imprudente, a-t-elle dit sévèrement.

Tina a hoché la tête et a reniflé. J'ai cru que Sandra allait de nouveau crier sur elle mais Judith a alors ajouté, d'une voix plus douce :

– Tu ne dois jamais recommencer à désobéir, ni à moi ni à aucune monitrice. Est-ce que tu as bien compris ?

Tina a acquiescé d'un air malheureux et nous avons continué notre chemin.

Heureusement, Sandra et Judith ont très vite oublié l'incident et nous nous sommes bientôt retrouvées dans un champ parsemé de gros rondins. Sandra nous a expliqué qu'ils faisaient partie d'un parcours de cross que les fermiers avaient mis en place. Elle nous a ensuite révélé qu'elle nous avait entraînées au saut d'obstacles parce que nous avions la permission de franchir ces bouts de bois !

Judith a montré aux plus jeunes comment en passer un petit au trot. Nous les avons applaudies lorsqu'elles ont réussi. Puis ça a été notre tour de tester le gros rondin. C'était la première fois que j'allais pratiquer le saut d'obstacles en plein air. J'étais si excitée que mon cœur battait à cent à l'heure quand j'ai observé Marin, Flamme et Brillante sauter (Sandra a montré l'exemple à cette dernière ponette afin de rassurer Clara). Les petites et moi avons applaudi ces couples cavalière-poney quand ils ont franchi l'obstacle avec succès.

Lorsque ça a été à moi, j'ai donné une grande tape à Bijou, avant de rassembler mes rênes et de lui faire décrire un cercle au trot. J'ai serré les jambes pour lui demander le galop seulement lorsque je l'ai remise droit. Je ne voulais pas me précipiter. Le rondin était si gros, si imposant, que l'espace d'un instant, je me suis dit : *Au secours ! Et si Bijou le cogne avec sa jambe ?* Mais je n'ai pas eu le temps d'avoir peur. Je me suis contentée de regarder au-delà de l'obstacle et j'ai compté sur Bijou pour nous le faire franchir en toute sécurité. En réalité, nous avons carrément volé au-dessus. Apparemment, ma ponette a adoré ça autant que moi parce qu'une fois de l'autre côté, elle est partie au galop en trombe. J'ai été si surprise que j'en ai perdu un étrier ! Mais par chance (sans doute grâce au travail d'équilibre effectué mardi), je me suis souvenue de bien m'enfoncer dans ma selle. Ensuite, j'ai ralenti Bijou avec les demi-arrêts et en lui faisant faire un cercle, ce qui m'a permis de récupérer mon étrier. Quand nous avons repris le trot et que nous avons rejoint la file des cavalières, celles-ci nous ont vivement acclamées.

– Bravo, Marine ! s'est exclamée Sandra. C'était excellent !

Je n'ai pas pu m'empêcher d'être très fière de moi. Nous nous sommes toutes entraînées encore plusieurs fois, y compris Tina et les petites qui se sont amusées à sauter au trot les rondins les moins gros.

Vu que nous n'étions pas très loin du campement, nous avons effectué presque tout le chemin du retour au pas car nous commencions à fatiguer, et les poneys aussi. Revenues aux centre équestre, nous avions à peine mis pied à terre que Tina m'a collée plus que jamais, sans doute parce qu'elle était toujours contrariée d'avoir été grondée par Sandra. Quand nous avons dû ramener les poneys au pré après les avoir pansés, elle a voulu que je l'accompagne. J'ai refusé : elle n'avait qu'une cinquantaine de pas à faire, Sacha s'y trouvait déjà et j'avais envie de passer encore un peu de temps avec Bijou. Pourtant, Tina a tellement insisté que j'ai fini par m'énerver et que j'ai dit d'un ton brusque :

– Très bien, alors viens !

Je suis partie vers le pré d'un pas lourd et bruyant, Bijou sur mes talons, Tina me suivant d'un air triste avec Clin d'œil. Même si elle avait obtenu ce qu'elle désirait, elle ne semblait pas très contente.

Je ne lui ai pas adressé la parole pendant que nous nous occupions de nos poneys, ce qui ne l'a pas empêchée d'essayer constamment de s'agripper à moi et de se pendre à mon cou en disant :

– S'il te plaît, Marine, souris !

C'était si agaçant qu'à la fin, j'ai crié :

– Oh, zut, Tina ! Tu ne peux pas me laisser tranquille, pour une fois ?

Ma sœur a eu les larmes aux yeux.

– Désolée, Marine, s'est-elle excusée doucement, avant de s'éloigner vers les tentes.

Oh là là ! Sur le moment, j'ai pensé que j'avais raison de lui dire ça, mais en racontant cet incident, je me sens *très* coupable. Pauvre Tina, je ne voulais pas me mettre en colère contre elle. Je vais tout de suite aller la trouver, lui faire un gros câlin et lui présenter mes excuses.

Jeudi soir

De retour aux Écuries du soleil,
dans mon lit !

Je me suis couchée de bonne heure afin de remplir mon journal intime (j'ai tant de choses à dire !). Tina est si épuisée qu'elle dort déjà, alors que la lumière est toujours allumée. Lola et Alexia aussi se sont mises au lit, mais les autres regardent une émission sur les chevaux dans le salon.

Bon, je suppose que je devrais raconter ce qui s'est passé lorsque j'ai voulu rejoindre Tina, même si j'ai un peu honte de l'écrire sur ces pages.

Je suis donc allée la chercher dans sa tente mais là, Lola m'a dit qu'elle et les autres ne l'avaient pas vue depuis un moment. Je ne me suis pourtant pas inquiétée. J'ai pensé qu'elle était soit près de la Land Rover, avec les grandes, soit à préparer le dîner avec Judith ou à ramasser du bois avec Paul et Jérémy, en prévision du feu de camp. Bizarrement, quand j'ai vérifié, elle n'était ni près de la voiture, ni avec Paul et Jérémy qui, les bras chargés de brindilles, ressortaient du bois seuls. Pour moi, il ne restait plus qu'une possibilité : elle devait se trouver dans le pré, avec Clin d'œil.

Lorsque j'ai vu que son poney n'était pas dans le champ, mon cœur s'est mis à battre très fort et je me suis sentie mal. Où pouvait-elle bien être ?

Je suis retournée en courant vers la Land Rover, avec l'impression d'étouffer.

– Tina est partie ! ai-je dit, sans que personne m'entende parmi les rires et les bavardages. Tina est partie ! ai-je répété en criant.

Là, tout le monde s'est tu. Je me suis mise à sangloter comme une folle. Sandra m'a serrée dans ses bras, m'a demandé de respirer à fond et de lui dire ce qui était arrivé.

– Tina a disparu et Clin d'œil aussi, ai-je finalement réussi à marmonner.

Sandra et Judith ont échangé un regard inquiet.

– Je l'ai vexée et...

Je voulais continuer mais j'ai fondu en larmes de nouveau.

– Bon, ne panique pas, m'a dit Paul d'un ton ferme. Je vais redescendre l'allée en voiture pour la chercher et...

– Nous l'aurions vue si elle avait pris cette direction, a jugé Sandra. Elle a dû emprunter la piste cavalière près du champ. Et si elle est à cheval, nous aurons plus de chances si nous aussi, nous allons à cheval.

– J'y vais, a décidé Paul avec un hochement de tête.

– Non, c'est moi, a insisté Sandra. Je vous téléphonerai dès que je l'aurai retrouvée.

Quand elle a dit cette phrase, comme s'il était *certain* qu'elle ramènerait Tina, je me suis sentie un peu mieux. J'étais soulagée qu'un adulte prenne la situation en mains. Mais je devais aller avec Sandra – il le fallait. Je n'ai même pas eu le temps de le lui demander car lorsqu'elle a vu ma tête, elle a aussitôt compris.

– Viens, Marine, a-t-elle dit, en partant vers le champ des poneys.

Salomé, Clara, Alyzee et Paul se sont empressés de nous accompagner pour nous aider à attraper et à harnacher Bijou et Bleu.

– Il y a une selle sans bride, ici, a fait remarquer Sandra, les sourcils froncés. Tina a dû monter à cru.

Je me suis remise à sangloter. Elle aurait encore plus de mal à garder son équilibre sans une selle et des étriers. Et si Clin d'œil, effrayé par quelque chose, s'emballait et prenait la fuite ? Et s'il désarçonnait Tina ? J'avais oublié de vérifier si elle avait emporté sa bombe. Ma sœur gisait peut-être déjà dans un fossé, quelque part, inconsciente. J'ai piqué une crise de larmes en gémissant :

– C'est ma faute ! Tout est ma faute !

Sandra m'a prise par les épaules et m'a tenue fermement en me regardant d'un air sévère.

– Marine, si tu veux venir avec moi, il faut que tu te calmes, m'a-t-elle ordonné. Être hystérique ne va pas aider Tina. Tu dois rester positive et te concentrer sur les recherches pour la retrouver. Ainsi, tu pourras te réconcilier avec elle, d'accord ?

J'ai fait oui de la tête en reniflant, et malgré les tremblements dans mes jambes, j'ai réussi à me mettre en selle. Bijou a tout de suite senti que quelque chose clochait. Elle a bondi sur ses sabots avec une grande énergie, comme si elle était impatiente de partir. Sandra et moi avons pris la direction de la piste cavalière au trot. Je songeais : et si la nuit tombe avant que nous retrouvions Tina ? Que ferons-nous ? J'ai chassé ces inquiétudes de mon esprit et je me suis efforcée de suivre le conseil de Sandra et d'avoir des pensées positives, mais c'était difficile. J'ai cherché des indices, en vain. Il y avait de nombreuses traces de sabots dans la boue, sans qu'il soit possible de repérer celles de Clin d'œil. Il s'est remis à pleuvoir et le ciel était à présent chargé de nuages orageux.

Après ce qui m'a semblé une éternité, nous avons atteint un carrefour d'où partait un chemin plus étroit. Sandra était persuadée que Tina avait continué sur la piste principale. Moi aussi, sauf que Bijou tirait vers la gauche, avec le désir de descendre l'autre chemin. Malgré mes efforts pour la ramener sur la piste, elle a refusé de bouger. J'ai été surprise car d'habitude, elle obéissait à mes ordres.

– Allez, on continue, m'a encouragée Sandra.

– Je crois que nous devrions aller par ici, lui ai-je dit. Apparemment, c'est ce que veut Bijou. Je suis sûre qu'elle essaie de me dire quelque chose.

Sandra n'était pas très d'accord, mais à me voir aussi déterminée, elle a accepté.

– Entendu, suivons Bijou.

– Gentille ponette, ai-je dit à Bijou en me penchant pour la caresser. Conduis-nous à Tina, s'il te plaît. S'il te plaît !

Je ne croyais pas ma ponette capable d'un tel exploit, pourtant, nous devions tenter notre chance. Au sortir de chaque virage, j'espérais découvrir Tina, mais je ne voyais que des haies épaisses et de la boue. Si nous avions rencontré un autre cavalier ou un promeneur, nous leur aurions demandé s'ils avaient vu une petite fille qui montait à cru toute seule, mais l'endroit était désert.

Au bout d'un moment, ma confiance en Bijou a baissé. Celle de Sandra aussi sans doute parce qu'elle a déclaré :

– Nous devrions peut-être retourner sur la piste principale. Si nous sommes sur le mauvais chemin, nous nous éloignerons davantage de Tina.

L'inquiétude que j'ai sentie dans sa voix m'a donné des frissons : elle n'avait plus l'air de contrôler la situation.

En tombant sur un autre croisement, la monitrice a voulu faire demi-tour à tout prix. Sauf que j'avais pris une décision : suivre le mouvement de Bijou.

– S'il te plaît, Sandra. Est-ce que tu peux me donner juste une minute ? ai-je supplié.

J'ai essayé de me calmer, de rester immobile, de relâcher mes mains et d'*écouter*. Bijou a henni et a fait passer son poids d'un pied sur l'autre. J'ai serré doucement mes jambes contre ses flancs, en gardant les mains souples et ouvertes, et je l'ai laissée choisir le chemin. Elle a pris celui de gauche. Sandra nous a suivies et a sorti son téléphone portable.

– Nous avons besoin d'aide, a-t-elle expliqué, avant de s'arrêter. J'appelle Judith pour lui dire d'envoyer Paul et Jérémy sur la piste cavalière principale. Je vais aussi lui demander d'appeler la police. Et il faudra bien sûr mettre tes parents au courant.

De penser à quel point ils seraient inquiets, et que j'étais responsable de cette situation m'a rendue malade. Je me suis effondrée sur ma selle, les larmes ruisselant sur mon visage. En plus, à cet instant, la pluie a redoublé. Toutes mes pensées positives se sont complètement évanouies ; pour moi, il n'y avait plus d'espoir.

– Tu as fait de ton mieux, ai-je dit à Bijou. Mais je n'aurais pas dû croire que tu savais quelle direction Tina a prise.

Pourtant, même si mes rênes étaient lâches, elle a continué sur le chemin qu'elle avait choisi.

C'est là que nous avons entendu un chien aboyer plus loin devant nous.

Je me suis bien redressée et j'ai tendu l'oreille. Sandra a fait comme moi. Sans un mot, nous avons rassemblé nos rênes et avons poursuivi au trot. Parvenues au sommet de la colline, nous avons aperçu une ferme.

– Je pense que ça vient de là-bas, a estimé Sandra. En général, les chiens aboient quand quelqu'un s'approche. Ça ne veut peut-être rien dire, bien sûr, mais il se peut aussi que Tina soit de ce côté. Viens !

Mon cœur battait à cent à l'heure et je priais en secret : *S'il vous plaît, faites que nous retrouvions Tina !* Sandra avait raison : j'ai de la chance d'avoir une petite sœur qui m'aime et m'admire. Et tout ce que j'ai fait, c'est la repousser. Je me suis promis que désormais, je serais plus patiente avec elle, que je la ferais participer à mes activités et que nous jouerions ensemble au Docteur Maboul pendant des heures. Je ferais tout ce qu'elle voudrait. Pourvu que nous la retrouvions.

Après être passées par le trou d'une haie, nous avons bifurqué et galopé sur le bord du champ. L'herbe boueuse et mes rênes étaient glissantes, mais Bijou a choisi d'emprunter un chemin sûr. Puis nous avons traversé une prairie, malgré le panneau indiquant « Propriété privée ». Au fur et à mesure que nous nous rapprochions de la ferme, le chien aboyait de plus en plus fort. Nous avons ensuite été bloquées par une haie haute. Pour la contourner, il nous aurait fallu retourner tout au bout de la piste et en trouver une autre pour remonter. Sandra m'a regardée.

– Te crois-tu capable de franchir cette haie, Marine ? m'a-t-elle demandé. Si tu me suis ?

J'ai bien observé la haie. Elle était *énorme*. Je n'étais pas très sûre de moi mais je savais que je devais essayer. Ce pourrait être le plus court chemin pour rejoindre Tina.

– Oui, ai-je répondu.

Sandra a fait un rapide signe de tête, a mené son poney à la haie et a regardé par-dessus pour vérifier qu'il n'y avait pas de dangers cachés de l'autre côté. Elle est revenue vers moi au trot en faisant décrire un cercle à Bleu.

– Bon, suis-moi, m'a-t-elle lancé.

Bijou et moi avons trotté et sommes parties au galop en même temps que Bleu, prenant ainsi de la vitesse. Malgré ma peur, j'ai respiré à fond et j'ai placé toute ma confiance en ma ponette. Bleu a fait un saut gigantesque, et tandis que Bijou bondissait derrière lui, j'ai retenu ma respiration et je me suis penchée en avant. L'instant d'après, nous étions de l'autre côté de la haie. Nous avions réussi !

– Bravo ! m'a félicitée Sandra, avant de m'entraîner au galop dans le champ suivant.

Devant nous se trouvait la ferme, avec le chien que nous avions entendu, un grand berger allemand. Il allait et venait en courant le long de la clôture et en aboyant. Il m'a rendue un peu nerveuse ; Bijou, elle, n'a pas bronché.

– Viens, m'a dit Sandra.

Nous avons gravi l'allée menant à la ferme au trot. Et là, au détour d'un virage, abrités sous un chêne situé face à des garages, nous avons découvert Tina et Clin d'œil. Ils étaient tous les deux trempés ; ma sœur était penchée en avant, accrochée au cou de son poney, les épaules secouées par des sanglots. Au moins, elle portait sa bombe.

– Tina ! me suis-je écriée.

Elle a brusquement redressé la tête. Surprise et soulagée de nous voir, elle a affiché un large sourire. Mais quand Sandra et moi nous sommes rapprochées, j'ai vu qu'elle était terrifiée. À présent, le chien se jetait sur la barrière en aboyant comme un fou.

Nous avions à peine rejoint Tina que j'ai sauté à terre et tendu les rênes de Bijou à Sandra. Tina aussi a glissé de Clin d'œil et je l'ai prise dans mes bras. Je ne voulais plus jamais la laisser partir.

J'ai attendu que Sandra se mette en colère contre ma sœur. Après tout, elle avait sans doute commis la pire bêtise qu'aucune cavalière ait jamais commise aux Écuries du soleil. C'est à ce moment-là que j'ai soudain compris qu'elle pourrait être punie et renvoyée. Elle m'a donné sa main froide et humide, que j'ai serrée fort. Elle aussi le savait. Mais quels que soient les problèmes qui s'annonçaient, nous serions dans le même bateau. Au fond, toute cette histoire était au moins à moitié ma faute.

Nous avons donc été très surprises que Sandra vienne nous enlacer et demande si Tina allait bien des dizaines de fois.

Tina a hoché la tête.

– La monte à cru est plus difficile que je ne croyais, a-t-elle déclaré. Comme au trot, j'ai failli tomber pendant tout le trajet, j'ai été obligée de rester au pas.

– Et heureusement que c'est ce que tu as fait ! s'est exclamée Sandra. Qui sait jusqu'où tu serais allée sinon !

– Je suis restée ici parce que j'avais peur du chien, a admis Tina, reniflant toujours. Un peu plus loin, il y a un endroit où je croyais qu'il pourrait passer sous la clôture. C'est pourquoi Clin d'œil et moi avons fait demi-tour, mais je ne me rappelais pas quel embranchement prendre sur le chemin, alors j'ai dû revenir ici. Je me suis dit que nous pourrions nous abriter sous cet arbre en attendant la fin de la pluie ou le retour des fermiers. Je croyais que nous resterions bloqués pendant des heures ; j'avais peur et je me sentais seule. Heureusement, vous m'avez trouvée !

– C'est Bijou qui t'a trouvée, ai-je rectifié. C'est elle qui a choisi les bons chemins. Et par chance, nous avons entendu les aboiements du chien, ce qui nous a permis d'arriver ici plus vite. Mais d'abord, pourquoi donc es-tu partie ?

– Je savais que je t'agaçais à traîner dans tes jambes tout le temps, Marine, a-t-elle marmonné. Et papa et maman me manquaient vraiment, alors j'ai décidé de rentrer chez nous à cheval.

– Mais nous habitons très loin d'ici ! me suis-je écriée, sous le choc.

– Je ne m'en suis pas rendu compte, a avoué Tina en reniflant. Je croyais connaître la route, mais vu que je n'ai pas pris la bonne piste, je ne savais plus quoi faire.

Elle s'est remise à pleurer. Je l'ai serrée fort contre moi et Sandra a déclaré :

– Bon, tu es saine et sauve, c'est tout ce qui compte. Et je sais que tu ne referas jamais une telle chose, pas après la peur que tu as eue. Bien, rentrons au camp avant d'être encore plus trempées.

– Ça m'étonnerait que nous puissions l'être plus, ai-je dit, ce qui a fait sourire Tina et Sandra malgré elles.

Sandra a téléphoné à Judith puis nous avons enfourché nos montures et sommes rentrées au pas afin que Tina garde l'équilibre. De retour au campement, nous nous sommes réfugiées dans la Land Rover pour nous sécher. Judith a ensuite préparé du thé pour Sandra et moi, et du jus de cassis chaud pour Tina. Tout en sirotant sa boisson, Tina n'a pas arrêté de s'excuser auprès de Sandra, alors qu'elle savait pertinemment qu'elle avait enfreint le règlement. Elle a également demandé pardon à Judith et à l'ensemble des stagiaires pour l'inquiétude qu'elle leur avait causée. Elle était si sincère que par chance, personne ne s'est fâché contre elle.

La pluie avait cessé. Tout le monde s'est rassemblé autour de la voiture et a été aux petits soins avec nous. Nous leur avons raconté comment nous avions retrouvé ma sœur, et j'ai dit que Bijou était une héroïne car c'était elle qui nous avait menées à Tina. Les plus grandes ont alors tenu à aller dans le champ des poneys pour lui faire un gros câlin.

Peu après, Paul et Jérémy ont fait un feu, sur lequel nous avons cuit des saucisses et des haricots. Quand ils ont proposé de jouer à l'épervier, nous avons toutes ronchonné. Pourtant, dès le début de la partie, nous avons retrouvé une énergie phénoménale.

Je me demandais si, après sa mésaventure, Tina aurait envie de s'amuser, mais elle débordait d'enthousiasme. Jérémy était très rigolo : quand il était l'épervier et qu'il attrapait l'une d'entre nous, il exécutait une danse de la victoire bizarre. À un moment, nous étions prises d'un tel fou rire que je ne sentais même plus mes jambes et mes bras et donc, j'étais incapable de courir ! Quand mon tour est venu d'être l'épervier, je n'ai pas attrapé grand monde, mais tant pis.

À la tombée de la nuit, nous nous sommes tous regroupés autour du feu et nous avons grillé de la guimauve. Paul a sorti sa guitare de la voiture et nous avons chanté quelques chansons traditionnelles, hurlant quand des chauves-souris volaient à ras au-dessus de nos têtes. Tandis que les étoiles commençaient à scintiller (juste comme je l'avais rêvé !), Salomé et moi avons chanté notre chanson préférée, en faisant les harmonies. Nous avons été très applaudies. Ensuite, une fois qu'il a fait complètement noir, nous avons raconté des histoires de fantômes. Dans celle d'Alyzee, une voiture tombait en panne tard la nuit, au beau milieu d'un bois sombre et profond. Quand ma copine a dit : « Soudain, la fille entend un bruit sur le toit de la voiture, qui faisait BOUM ! BOUM ! BOUM ! », les petites ont crié et Tina s'est cramponnée à mon bras. (Alyzee est si douée qu'elle pourrait devenir comédienne !) Résultat : Sandra a décrété qu'il était l'heure d'aller au lit.

Malgré mes protestations, en vrai, j'étais très soulagée que nous finissions cette séance d'épouvante !

Lorsque Tina m'a demandé de dormir dans ma tente, j'ai bien sûr accepté, en raison de l'incident de l'après-midi. L'idée ne m'a même pas traversé l'esprit que je ratais une soirée pyjama avec mes trois copines. Ça ne semblait plus important. Pelotonnées dans nos duvets, nous avons discuté de sujets qui nous intéressaient toutes les cinq. Et environ une heure plus tard, Sandra est venue nous souhaiter bonne nuit et nous demander de ne plus bavarder. Nous voulions attendre qu'elle dorme profondément avant de reprendre nos chuchotements, sauf que nous nous sommes endormies nous aussi !

La chose dont je me souviens ensuite, c'est que Tina m'a réveillée en me secouant au beau milieu de la nuit.

– Qu'est-ce qu'il y a ? Qu'est-ce qui ne va pas ? ai-je murmuré, ne sachant d'abord plus du tout où j'étais.

– Il faut que j'aille faire pipi, a annoncé Tina.

J'ai soupiré et je lui ai tourné le dos en voulant me rendormir, mais elle m'a secoué l'épaule jusqu'à ce que je sois obligée de m'asseoir. Ça ne me disait vraiment rien de sortir de mon bon duvet bien chaud et de m'aventurer dans l'obscurité (surtout que j'avais toujours en mémoire l'histoire terrifiante d'Alyzee !). Pourtant, vu que Tina avait un besoin très pressant et qu'elle ne voulait pas aller dehors seule, j'ai enfilé mon jodhpur, j'ai enjambé Salomé et je suis sortie de la tente en rampant.

Alors que tout le monde dormait, Tina a refusé de faire pipi sur l'herbe à côté de la tente.

J'ai dû l'emmener plus loin, dans les buissons (j'avais peur !). Je suis restée près d'elle et j'ai chanté à voix basse pour qu'elle sache que j'étais toujours là.

– Je n'écoute pas, je n'écoute pas, je n'écoute pas, disais-je, sur un air débile que j'inventais.

Ça nous a fait glousser toutes les deux. En plus, comme nos yeux s'habituaient au clair de lune, nous avions beaucoup moins peur.

De retour dans la tente, nous nous sommes blotties l'une contre l'autre. Nous avons dit combien nous trouvions Bijou et Clin d'œil fabuleux. Puis, j'ai demandé à Tina pourquoi elle voulait être avec moi tout le temps.

– Ce n'est pas que je *veux* être avec toi tout le temps, a-t-elle rectifié. Mais, bon, si soudain j'ai besoin de toi et que tu n'es pas là ? Il vaut mieux que je me colle à toi...

J'ai été très surprise de sa réponse. Alors elle non plus, elle n'aime pas être un pot de colle ! C'est là que j'ai compris : elle ne se comportait pas ainsi pour m'embêter, elle manquait simplement de confiance en elle pour être plus indépendante. J'ai aussi compris que ce n'était pas en la repoussant que j'allais la rendre plus sûre d'elle. En fait, c'était exactement le contraire.

– Tu as peut-être raison, ai-je chuchoté. Mais je parie que tu t'amuserais plus à traîner avec Lola et Alexia dans la cour. Vous panseriez vos poneys ensemble après la leçon et discuteriez des exercices que vous avez faits.

– Oui, sans doute, a admis Tina. Et j'emprunterais le super kit de pansage d'Alexia.

Je l'ai serrée dans mes bras, avec son duvet et tout, et elle m'a enlacée.

– Tu n'as pas à avoir peur de faire des choses sans moi, Tina, lui ai-je assuré. Et je vais conclure un marché avec toi. Je te promets que je serai là chaque fois que tu auras besoin de moi. Tu n'auras qu'à m'appeler et j'interromprai ce que je suis en train de faire. Ou si tu veux te joindre à moi, c'est aussi possible, n'importe quand, ça ne m'embêtera pas. D'accord ?

Tina m'a fait un gros câlin.

– C'est vrai ? a-t-elle chuchoté. Merci, Marine.

Nous nous sommes rendormies peu de temps après, et même si Tina a bougé pendant la nuit, je ne m'en suis pas aperçue. En réalité, j'étais si fatiguée qu'il aurait fallu un troupeau d'éléphants en pleine course pour me réveiller !

Oh, une minute, je descends juste pour boire mon chocolat chaud. Il n'est pas question que je manque ça !

Encore jeudi

Je suis de retour !

Lorsque nous nous sommes réveillées, comme Sandra est allée jeter un coup d'œil sur les poneys, nous avons eu un peu de temps pour traîner. Et, surprise ! Tina est retournée avec Lola, Sacha et Alexia, avec qui elle a joué au camping américain (je ne comprends pas vraiment en quoi c'est différent du camping normal, mais ce n'est pas grave !). C'était chouette parce qu'Alexia a passé la tête sous notre tente et a proposé à Tina d'aller s'amuser avec elle et les autres. Tina m'a d'abord regardée d'un air incertain puis, semblant se souvenir de notre conversation de cette nuit, elle est sortie en rampant et a dit :

– Je t'appellerai si j'ai besoin de toi, Marine.

– Pas de problème. Je serai là, ai-je répondu avec un grand sourire.

Après un rapide petit déjeuner (saucisses d'hier soir dans des petits pains et jus d'orange), nous avons démonté les tentes et les avons rangées dans la Land Rover, avec le reste du matériel.

Nous avons ensuite attrapé nos poneys, les avons conduits sur la petite allée et les avons pansés de la tête aux pieds. En mettant son harnachement à Bijou, je lui ai dit un grand merci d'avoir retrouvé Tina, et je lui ai expliqué que les choses se passaient beaucoup mieux entre nous maintenant. Peu importe si elle n'a pas compris exactement ce que je lui ai dit; elle a pu voir que j'étais plus heureuse et plus détendue.

Nous avons fait au revoir de la main à Paul et à Jérémy, avant de nous préparer à partir nous aussi. Tandis que nous nous faisions la courte échelle et que nous ajustions nos étriers, nous avons toutes grogné, tellement nous étions courbaturées après la longue randonnée d'hier.

Nous avons pris un autre itinéraire pour rentrer aux Écuries du soleil. Avec mes copines du groupe B, nous avons effectué quelques galops à couper le souffle (c'est le cas de le dire !). Et oui, cette fois-ci, Tina s'est bien comportée : elle est restée au trot avec Judith !

Ensuite, Sandra nous a surprises en annonçant aux petites qu'elle les autorisait à prendre le galop final avec nous. Malgré son air nerveux et tout excité, Tina s'est débrouillée comme une chef car elle a forcé Clin d'œil à suivre Prince de très près, comme on le lui avait conseillé. Parvenues au sommet de la colline, nous avons beaucoup applaudi et félicité les petites. Tina semblait très fière d'elle, et moi aussi je l'étais.

Alors que nous étions presque arrivées, le ciel est soudain devenu tout noir et il est tombé des cordes. Trempées jusqu'aux os et mortes de rire, nous poussions des cris perçants. De retour dans la cour, nous avons mené les poneys dans la grange, leur avons enlevé leurs harnachements, sans oublier de vérifier qu'ils avaient suffisamment d'eau fraîche. Puis nous sommes allées dans la maison nous sécher et nous changer, avant de manger une bonne soupe à la tomate bien chaude et des sandwiches grillés au fromage. Miam !

Une fois rassasiées, nous avons pansé nos poneys dans la grange et quand la pluie s'est calmée, nous les avons ramenés au pré. J'ai donné une grande tape à Bijou et je lui ai fait un gros câlin. Je n'avais pas envie de la laisser et de retourner dans la ferme. Elle est si belle et si adorable ! Elle va me manquer quand le camp d'équitation sera fini.

Oh, voilà les autres qui montent se coucher. Waouh ! C'est incroyable tout ce que j'ai écrit !

Vendredi matin

*Ta-taaa ! J'ai finalement fait
ma soirée pyjama !*

Une fois que tout le monde a été couché et que les lumières ont été éteintes, je suis restée allongée à écouter les chuchotements et les rires étouffés en provenance du bout du couloir. Je croyais Tina endormie, quand elle m'a dit d'aller rejoindre les grandes. J'ai répondu que je ne voulais pas mais elle a insisté :

– Je sais que tu en as envie, Marine, et je te promets que ça ira si je reste seule ici. Je sais que je pourrai aller te chercher si j'ai peur.

Me voilà donc partie ! Je suis retournée discrètement dans la chambre pour vérifier que tout allait bien, mais Tina s'est vite endormie.

Salomé, Clara, Alyzee et moi nous sommes entassées sur la couchette de Clara transformée en tente secrète. Nous nous sommes tellement amusées ! C'était génial ! Nous nous sommes raconté des secrets, que je ne vais bien sûr pas recopier entièrement dans ce journal… À part que j'étais stupéfaite des révélations de Clara à propos de sa meilleure amie pour la vie ! J'ai aussi appris qu'Alyzee craque pour un copain de son frère (hi, hi !). Vers minuit, nous avons mangé des bonbons et des barres chocolatées qu'Alyzee avait curieusement réussi à garder jusqu'à ce soir. Et nous avons discuté de sujets de filles, dont je ne parlerai pas non plus sur ces pages ! C'était vraiment super ! Je ne suis retournée dans ma chambre qu'à une heure passé. Je devrais donc être fatiguée ce matin. Pourtant, je suis si impatiente de profiter au maximum de ma dernière journée que ce n'est pas du tout le cas !

Vendredi soir

De retour chez moi !
Je n'ai pas vu la semaine passer !

Cette journée a été la plus extraordinaire de toutes !

Nous avons commencé par une leçon. Ensuite, au lieu d'assister à un cours théorique, nous nous sommes préparées pour un petit spectacle. Ce n'était pas réellement des épreuves de vitesse – juste une petite présentation amusante destinée aux parents, afin de leur montrer ce que nous avons appris au cours de ce stage.

Après une pause biscuits-jus d'orange (nécessaire, vu cette journée de canicule !), l'heure de nous occuper de nos poneys est arrivée. Nous les avons amenés dans la cour et attachés le long d'un mur. Sandra et Lydie nous ont aidées et nous avons utilisé tous les kits de pansage pour donner une allure magnifique à nos montures.

Entre les tresses des crinières, les rubans dans les queues et les dessins au pochoir sur les croupes de leurs poneys, les stagiaires étaient débordées. C'est vrai que Brillante était magnifique avec ses dessins d'étoiles et Sucre adorable avec son vernis à sabots scintillant, mais je savais que ce genre d'accessoire n'irait pas à Bijou. Au fond, c'est une ponette du Far West et je ne voulais pas la transformer totalement !

C'est pourquoi je lui ai fait une sorte de look « beauté naturelle », comme on voit dans les magazines pour les filles, mais version poney ! D'abord, j'ai bien brossé sa robe jusqu'à ce qu'elle brille. Ensuite, j'ai utilisé un tout petit peu du soin traitant de Claudia pour donner tout son éclat à sa belle couleur blanche. Le résultat était fantastique ! Je lui ai aussi soigneusement lavé les jambes et la tête, avant de peigner sa crinière jusqu'à la rendre soyeuse et lui donner du volume.

Pendant tout ce temps, je lui disais à quel point je la trouvais géniale, quelle chance j'avais eue de la monter cette semaine et combien elle allait me manquer. J'interrompais sans cesse ses soins pour lui faire des câlins !

J'ai ensuite astiqué à fond mon matériel, et j'ai noué des rubans bleus et blancs au frontal de Bijou. C'était très beau ! Alors que j'étais en train de lui passer la bride, j'ai entendu Tina (qui était un peu plus loin, en face de Lola) dire qu'elle avait besoin d'aller aux toilettes.

– Tu veux que je t'accompagne, Tina ? ai-je proposé machinalement.

Au lieu de répondre son « oui » habituel, ma sœur a ri sottement et s'est écriée :

– Ça ne va pas, la tête ! Je peux y aller toute seule, je ne suis pas un bébé, Marine !

Les autres petites aussi ont rigolé, comme si c'était moi qui étais ridicule !

– Pas de problème, madame ! C'était juste une question ! ai-je rétorqué avec un haussement de sourcils, en faisant mine d'être vexée.

Mais en vrai, j'étais contente.

Quand nos poneys ont été prêts, nous les avons menés dans la grange et sommes allées déjeuner. Tandis que nous finissions notre salade de fruits, certains parents sont arrivés et ont passé la tête par la porte. En attendant les nôtres, Tina, Salomé et moi avons aidé Judith à débarrasser la table.

Vu qu'ils n'étaient toujours pas là au moment où nous allions commencer notre présentation, Sandra nous a accordé quelques minutes supplémentaires dans la cour. Nous en avons profité pour aller chercher nos appareils photo et pour nous photographier toutes ensemble, et avec nos poneys. Puis nous avons échangé nos adresses afin de pouvoir nous écrire (maintenant, j'ai donc une correspondante américaine. Génial !).

Papa et maman sont arrivés en se précipitant hors de leur voiture au moment où nous faisions notre entrée à cheval dans le manège. Ils avaient été coincés dans un embouteillage.

Nous avons débuté par une démonstration d'une vingtaine de minutes, qui ressemblait à une leçon normale. En suivant les indications que Sandra annonçait à voix haute, nous avons pu montrer nos nouvelles connaissances sur la randonnée équestre. Les parents ont été très impressionnés par notre travail d'équilibre. Et lorsque, après avoir divisé les cavalières en deux groupes, Sandra nous a demandé d'effectuer des huit de chiffres en nous intercalant les unes entre les autres, ils ont été stupéfaits qu'il n'y ait pas de collision. (Alyzee ne s'est même pas rapprochée dangereusement d'un autre poney !) Quand ils nous ont applaudies très fort à la fin, Bijou a henni de plaisir, ce qui a fait rire tout le monde.

Toujours en selle, nous avons ensuite joué à quelques *pony-games* ; c'était très amusant et les parents nous ont toutes encouragées. Bijou a une allure si régulière que nous avons remporté la course à la cuillère. Contrairement aux autres cavalières, dont les œufs volaient dans le décor, je n'ai même pas eu besoin d'essayer de le garder en équilibre dans ma cuillère !

Pour la course de relais, Sandra a déclaré que nous devions nous mettre par deux, une grande avec une petite. J'ai tourné la tête vers Tina, supposant qu'elle voudrait faire équipe avec moi. Mais puisqu'elle allait déjà vers Alyzee, j'ai choisi Lola comme partenaire. J'étais très heureuse que Tina ne me colle plus, pourtant, bizarrement, ça me rendait aussi un peu triste. Ça alors ! Jamais de ma vie je n'aurais imaginé réagir de cette façon !

Lors de la course de relais, Lola et moi n'avons pas facilité la tâche à Alyzee et Tina sous prétexte que Tina est ma petite sœur. Non, nous avons pris les choses très au sérieux ; nous étions motivées pour gagner ! Et c'est ce qui s'est passé, sauf que nous avons perdu la seconde manche contre Sacha et Clara. Tant pis !

Les jeux terminés, nous avons relevé nos étriers sur nos selles et avons reconduit nos montures dans la cour, afin de leur donner à boire et de leur enlever leurs harnachements. Judith a sorti des bouteilles de jus de fruits et nous a donné à boire à nous aussi.

Tina a traîné papa et maman partout et les a présentés à Clin d'œil. Lorsqu'elle a montré à papa comment curer les sabots de son poney, il a paru nerveux, alors qu'il est en général très sûr de lui. Nous n'avons pas pu nous empêcher de rire. Ensuite, Tina a été adorable : pendant tout le temps où elle pansait Clin d'œil, elle n'a pas arrêté de dire combien j'étais douée en saut d'obstacles et combien nous nous étions amusées lors de la randonnée et de la nuit en camping. (Y compris quand elle a dû sortir faire pipi – épisode qui ne semblait plus du tout effrayant!)

Plus tard, maman m'a accompagnée dans la ferme pour prendre nos valises. Puis, en chemin vers le parking, elle m'a dit :

– Merci beaucoup de t'être occupée de Tina cette semaine, Marine. Au fait, Sandra nous a raconté sa petite mésaventure.

Elle a haussé les sourcils ; moi, j'ai rougi. Heureusement, elle n'était pas fâchée contre moi.

– Je pense que vous en avez tiré des leçons toutes les deux, a-t-elle ajouté. Nous en resterons donc là.

Ouf !

Maman a ensuite déclaré une chose très surprenante. Papa et elle ont été si impressionnés par mon équitation qu'ils vont trouver un moyen de me faire passer dans le groupe des avancés de mon poney-club !

– Mais, et Tina ? Tu as dit que tu ne pouvais pas faire deux fois le chauffeur, me suis-je étonnée.

– Nous nous arrangerons, a assuré maman. Je suis sûre qu'on trouvera un autre parent pour te déposer au club. Je mettrai une annonce sur le panneau d'affichage. En attendant, eh bien, je suppose qu'il faudra que je fasse deux trajets. Nous ne voulons pas que tu perdes ta pratique après tout le dur travail et les progrès que tu as effectués pendant ce stage.

Waouh ! Alors, ça ! Et ce n'était pas tout !

– En tout cas, tu mérites une récompense pour t'être occupée de ta sœur. Nous craignions qu'elle ne s'ennuie de nous ou qu'elle ne soit trop jeune pour se débrouiller ici, mais grâce à toi, elle a passé une semaine merveilleuse.

– Merci, maman, ai-je dit.

Ces paroles m'ont fait très plaisir, même si au début, je n'ai pas été tellement à la hauteur. Par chance, je me suis rattrapée à la fin.

Juste à ce moment-là, Tina nous a rejointes en courant et a tenu à porter sa valise elle-même, alors qu'elle était trop lourde pour elle et que l'allée était recouverte de graviers. Tandis qu'elle avançait péniblement en soufflant, elle m'a adressé un grand sourire, que je lui ai rendu avec encore plus de tendresse. D'accord, mon camp d'équitation ne s'est peut-être pas déroulé exactement comme je l'avais imaginé, mais en voyant ma petite sœur me sourire avec admiration, je me suis rendu compte que pour rien au monde, je n'y aurais changé quoi que ce soit !

Dans la série

Mon poney et moi

Manon et Polisson
Pauline et Prince
Julie et Fripon
Chloé et Cannelle
Léa et Charme
Camille et Caramel
Charline et Chance
Marine et Bijou